Einsterns Schwester
leicht gemacht

2

Projektheft
Schmetterlinge

Herausgegeben von
Roland Bauer, Jutta Maurach

Erarbeitet von
Annette Schumpp

Cornelsen

Inhaltsverzeichnis

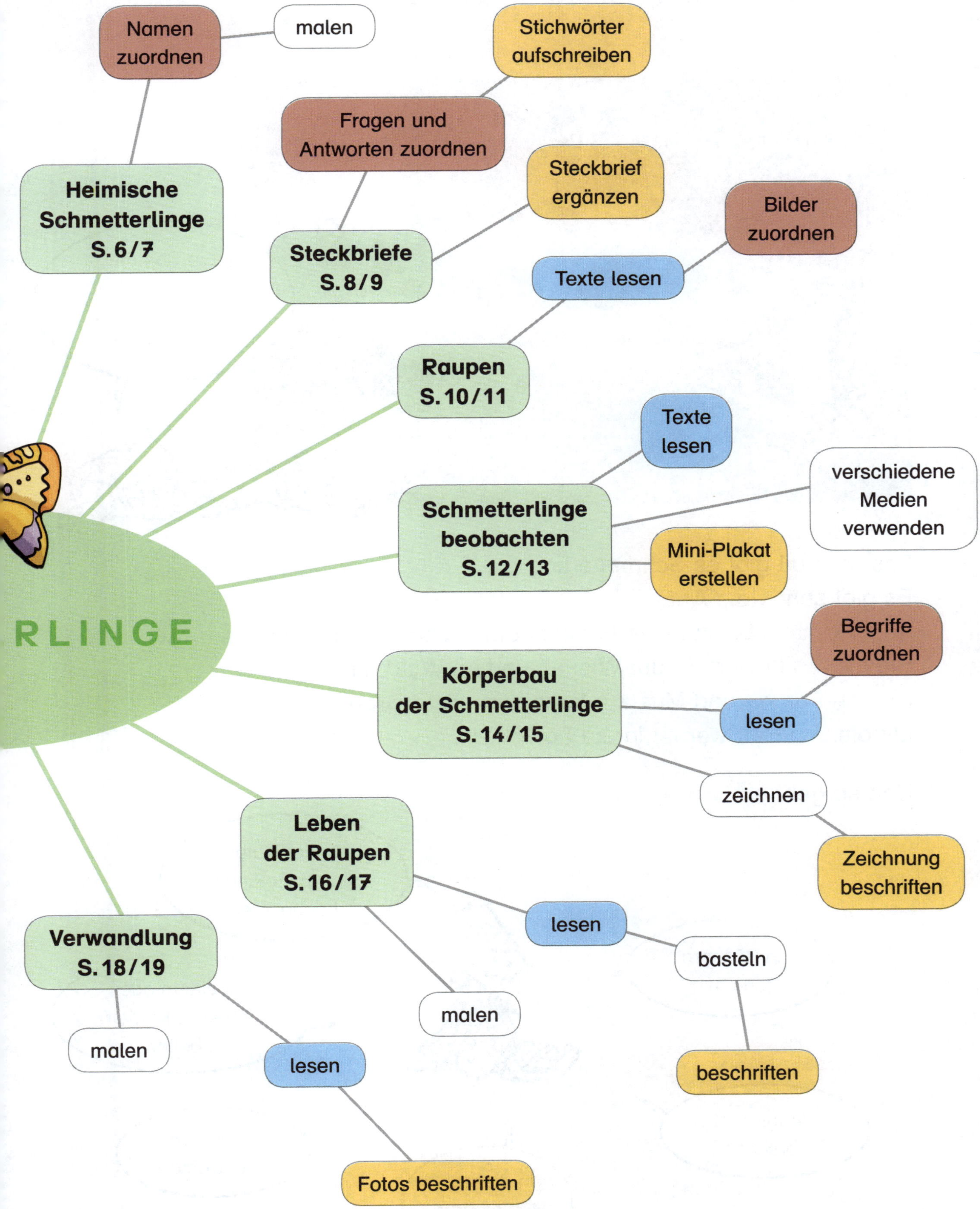
RLINGE
Heimische Schmetterlinge S. 6/7
Namen zuordnen
malen
Steckbriefe S. 8/9
Fragen und Antworten zuordnen
Stichwörter aufschreiben
Steckbrief ergänzen
Raupen S. 10/11
Texte lesen
Bilder zuordnen
Schmetterlinge beobachten S. 12/13
Texte lesen
verschiedene Medien verwenden
Mini-Plakat erstellen
Körperbau der Schmetterlinge S. 14/15
lesen
Begriffe zuordnen
zeichnen
Zeichnung beschriften
Leben der Raupen S. 16/17
lesen
basteln
beschriften
malen
Verwandlung S. 18/19
malen
lesen
Fotos beschriften

Ein Projekt über Schmetterlinge – warum?

Fast überall gibt es Schmetterlinge.
Es gibt sehr viele Arten.
Vom Frühling bis zum Herbst könnt ihr Schmetterlinge sehen.
Sie fliegen in Gärten, auf Wiesen und im Wald umher.
An den Farben und Mustern kann man sie erkennen.
Mit diesem Heft werdet ihr zu Forschern.

Und so geht es:

Zu allen Seiten könnt ihr immer auch:

– Bilder malen,

– kleine Texte abschreiben,

– eigene Geschichten schreiben,

– weiterforschen,

– ein Plakat gestalten,

– kleine Vorträge vorbereiten und halten

– und eure eigenen Ideen einbringen.

Und so könnt ihr
eure Ergebnisse
vorstellen:

Schmetterlinge betrachten und benennen

1. Sieh dir die Fotos an.

2. Lies die Namen der Schmetterlinge.

3. Schreibe zu jedem Namen die Nummer des passenden Fotos.
Tipp: Forsche in euren Büchern.

4	der Zitronenfalter		der Schwalbenschwanz
	der Admiral		der Kohlweißling
	das Tagpfauenauge		der Distelfalter

1

2

3

4

5

6

1. der Schwalbenschwanz 2. der Admiral 3. das Tagpfauenauge
4. der Zitronenfalter 5. der Distelfalter 6. der Kohlweißling

4 Wähle von Seite 6 zwei Schmetterlinge aus.
Male sie in die Felder.

5 Schreibe die Namen dazu.

Zitronenfalter

Steckbriefe schreiben und gestalten

Schmetterlinge sind ganz verschieden. Sie

- sehen verschieden aus,
- sind verschieden groß,
- leben an verschiedenen Plätzen und
- leben in verschiedenen Monaten.

1 Sieh das Foto genau an.

Ein Admiral

2 Lies die Fragen zum Admiral.

Wie sieht er aus?

Wie groß ist er?

Wo lebt er?

Wann fliegt er?

Was kann er besonders gut?

Wo ist er im Winter?

bis 6 Zentimeter breit

schwarz mit roten Streifen und weißen Flecken

in Gärten mit wilden Blumen und an Brennnesseln

fliegt über hohe Berge

im Frühling und im Herbst

im warmen Süden

3 Verbinde jede Frage mit der passenden Antwort.

4 Ergänze den Steckbrief.
Die roten Antworten von Seite 8, Aufgabe 2, helfen dir.

Der Admiral

Größe:

Aussehen:

Dort lebt er:

Dann fliegt er:

Besonderheit:

1 Lies die Texte
und sieh dir die Bilder an.

Ich bin das Tagpfauenauge.

Meine Raupe ist **schwarz** mit **kleinen weißen Punkten.** Sie hat **lange schwarze Dornen.**

Ich bin der Distelfalter.

Meine Raupe hat ein **graubraunes Muster.** Sie hat **braune Dornen.**

Ich bin der Kohlweißling.

Meine Raupe ist gelbgrün. Sie hat **schwarze Flecken.** Am ganzen Körper sind **feine Härchen.**

Ich bin der Schwalbenschwanz.

Meine Raupe ist die **hübscheste** Raupe. Sie ist **grün** und hat **schwarze Streifen** und **orangefarbene Flecken.**

❷ Ergänze, was einmal aus jeder Raupe wird.
Lies dazu nochmals genau die Seite 10.

Ich werde einmal ein

Ich werde einmal ein

Ich werde einmal ein

Ich werde einmal ein

Schmetterlinge beobachten und darüber berichten

1. Lies die Mini-Plakate.

2. Unterstreiche grün, wo die Kinder die Schmetterlinge und Raupen gefunden haben.

Als Forscher unterwegs

Kleiner Fuchs

Ich habe den Falter bei uns im Garten am Schmetterlingsstrauch entdeckt. Zuerst wusste ich nicht, was er für ein Schmetterling ist.
Im Schmetterlingsbuch habe ich ihn gefunden.
Meine Mama hat mit mir noch ein Bild aus dem Internet ausgedruckt.

Simon 9. Juni

Kohlweißling

Am Samstag haben wir einen Spaziergang gemacht.
Der Falter flatterte am Feld über den Wiesenblumen.
Ich habe ihn schnell erkannt.
Wir haben gleich ein Foto gemacht.

Lena 7. Juni

Wer kennt diese Raupen?

Wir haben sie an den Brennnesseln hinter der Schule gefunden. Wir würden sie gerne aufziehen und sehen, wie die Schmetterlinge schlüpfen.
Geht das?

Melike und Jana 15. Mai

3 Kreuze an, was die Kinder für ihre Bilder verwendet haben.

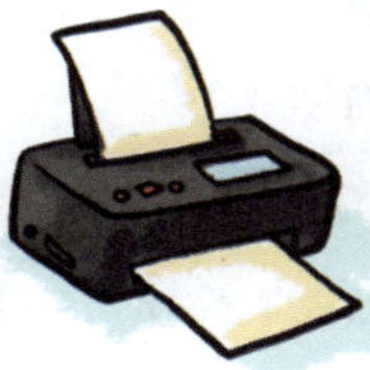

4 Suche und beobachte Schmetterlinge. Schreibe und male dazu.

Bild:

Name des Tiers:

Datum der Beobachtung:

Mein Text:

1 Lies den Text.

Der Körperbau der Schmetterlinge

Käfer und Ameisen sind Insekten.
Ist ein Schmetterling auch ein Insekt?
Kaum zu glauben! Aber es ist so.
Schmetterlinge haben die gleichen Körperteile.
Der Körper besteht aus Kopf, Brust und Hinterleib.
Am Kopf sitzen Augen, Fühler und Saugrüssel.
An der Brust sitzen Vorderflügel,
Hinterflügel und 6 Beine.

2 Male die Wortkärtchen in den passenden Farben wie in 1 an.

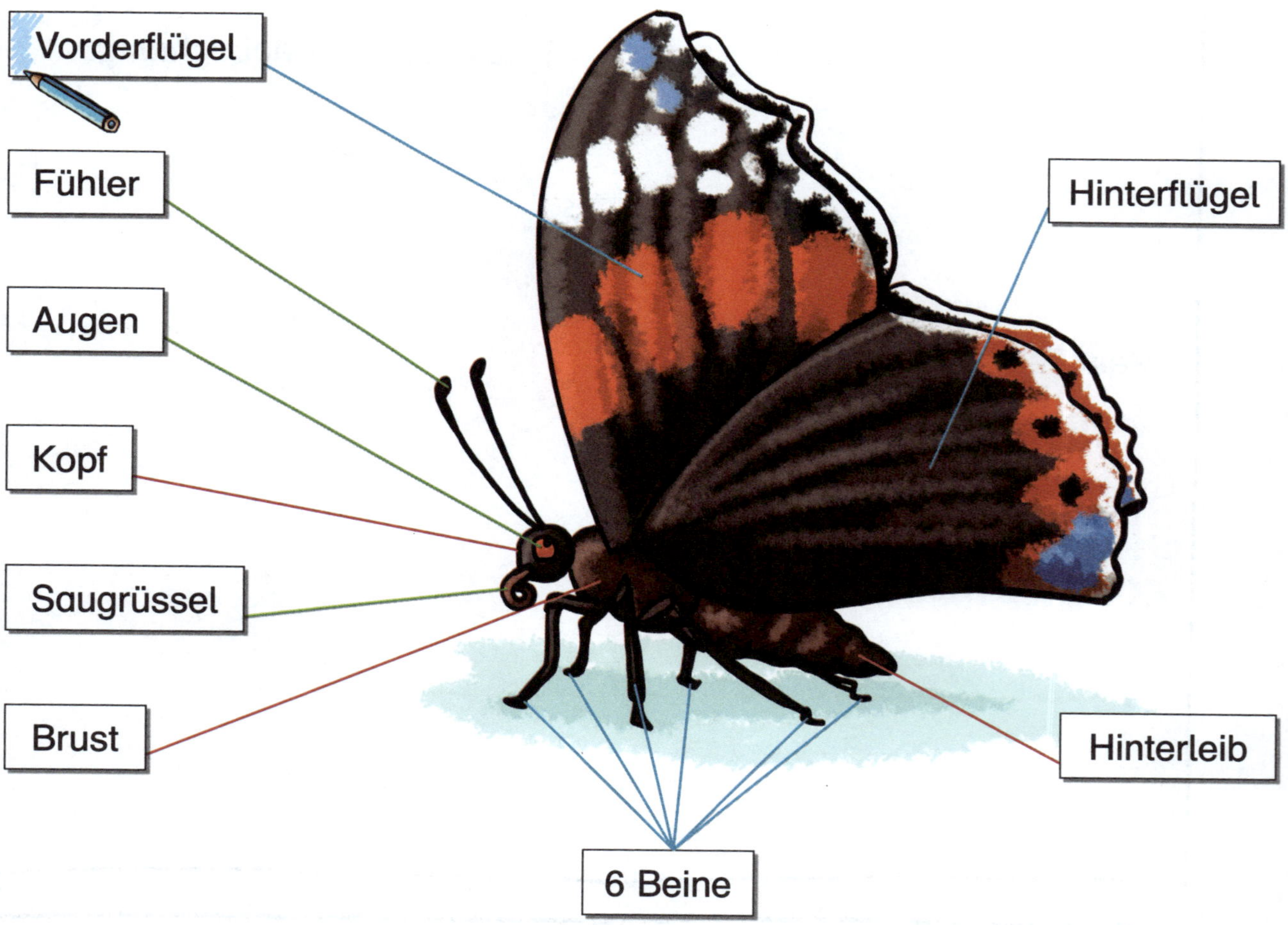

3 Zeichne einen Schmetterling.
- Achte dabei auf die Teile seines Körpers.
- Beschrifte die Teile.

1. Lies die Texte in der Raupe oben.

2. Unterstreiche in den Texten, was besonders wichtig ist.

3. Gestaltet eine große Raupe, die Wichtiges über sich erzählt.
   Nutzt die unterstrichenen Wörter von oben.

4 Lies nach, wie Raupen ihre Feinde abschrecken können.

Ich schrecke Feinde ab.

5 Male eine abschreckende Raupe.

Den Kreislauf der Verwandlung entdecken

Im Kinderbuch „Die kleine Raupe Nimmersatt“ entwickelt sich aus einem kleinen Ei ein schöner Schmetterling.
Und wie geht die Geschichte weiter?

In der Natur ist die Geschichte ein Kreislauf. Die Verwandlung vom **Ei** zur **Raupe** zur **Puppe** zum **Schmetterling** zum **Ei** geht immer weiter und hört nicht auf.
Man kann sie in einem Kreis zeigen.

1. Beschrifte die Fotos.

Ei

❷ Lies die Texte.

❸ Male passende Bilder dazu.

Nach der Paarung legt
das Weibchen seine Eier ab.
Es klebt sie fest an Stängel
oder Blätter.

Nach wenigen Tagen
oder Wochen schlüpft
aus dem Ei die kleine Raupe.
Sie muss fressen und wachsen.

Wenn sich die Raupe groß
und dick gefressen hat,
sucht sie sich einen ruhigen Platz.
Dort verpuppt sie sich.

Die Puppe ist hart und
unbeweglich. Innen verwandelt
sich die Raupe zum Schmetterling.
Die Hülle platzt auf.
Der Schmetterling schlüpft.

1 Sieh dir die Bilder an.
Lies die Texte.

Dieses Buch bietet mit schönen Bildern
und Texten viele Informationen.
Ihr bekommt Antworten auf viele Fragen:
– Was ist überhaupt ein Schmetterling?
– Wie entsteht ein Schmetterling?
– Wie überleben die Raupen?
Das Buch gibt auch Tipps zum Basteln.

Mit diesem Buch könnt ihr ganz nah
an Schmetterlinge herankommen.
Wie durch eine Lupe könnt ihr Raupe
und Schmetterling betrachten.
Die Texte erzählen von ihrem
geheimnisvollen Leben.

2 Sucht diese und andere Bücher
über Schmetterlinge in der Bücherei.

3 Schreibe den Titel eines Buches auf,
das du in der Bücherei gefunden hast.

4 Schaut auf diese Internet-Seiten.

- http://www.kindernetz.de/oli/tierlexikon
- http://www.naturdetektive.de
- http://www.nabu.de

Lasst euch beim Forschen im Internet immer von einem Erwachsenen helfen.

5 Tauscht eure Erfahrungen beim Forschen aus.

6 Notiert eure Meinungen und präsentiert sie in der Klasse.

Schmetterlingswörter kennen und ordnen

1 Lies die Wörter.

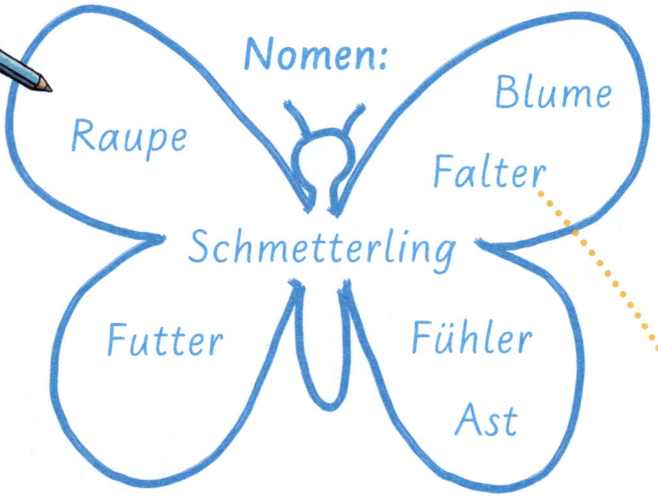

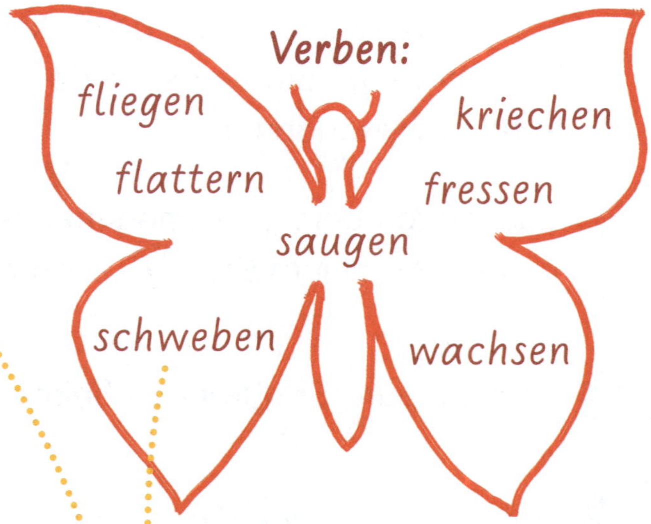

2 Unterstreiche in 1 die Wörter, die du nicht kennst.

3 Erklärt euch die Wörter gegenseitig.

4 Schreibe ein Wort und seine Erklärung auf.

5 Unterstreiche jedes Wort in der passenden Farbe.

Ast
Blume
Falter
kriechen
fressen
Raupe
dick
hungrig
wachsen
fliegen
Nektar
hübsch

flattern
schweben
Schmetterling
Fühler
zerbrechlich
Futter
leicht
zart
bunt
saugen
rund
schlüpfen

6 Zählt und vergleicht eure Ergebnisse aus 5.

Es sind ____ Nomen, ____ Verben und ____ Adjektive.

Wenn ich ein Schmetterling wäre …

1 Fertige einen Schmetterling als Klatschbild.
Lies und beachte die Schritte der Anleitung.

Du brauchst:

So geht es:

1. Decke den Tisch mit Zeitungen ab.
2. Falte ein Blatt Papier in der Mitte und öffne es wieder.
3. Gib auf eine Hälfte des Papiers kräftige Kleckse in verschiedenen Farben.
4. Falte das Papier zusammen und streiche fest mit der Hand darüber.
5. Falte das Papier wieder auf. Betrachte dein Werk. Wenn du willst, wiederhole die Schritte 3) und 4).
6. Lass das Bild trocknen.
7. Schneide aus dem Klecks einen Schmetterling aus. Klebe ihn auf ein größeres Papier. Male den Körper, den Kopf und die Fühler.

2 Nimm dir Zeit und betrachte deinen Schmetterling.

3 Schreibe eine Fantasiegeschichte zu deinem Schmetterling.

Was wäre, wenn ich ein Schmetterling wäre?

Ich würde

4 Male ein Bild zu deiner Geschichte.

5 Lest euch die Geschichten aus 3 gegenseitig vor.

Elfchen sind kurze Gedichte.
Sie erzählen von Beobachtungen und Gefühlen.

1 Lies die beiden Gedichte mehrmals.

Bunt
Ein Falter
Saugt den Nektar
Er flattert ganz ruhig
Glück

Hungrig
Eine Raupe
Fressen, fressen, fressen
Ich habe sie entdeckt
Süß

2 Prüfe Zeile für Zeile mit dem Bauplan, ob die Gedichte oben Elfchen sind. Hake ab, was du überprüft hast.

Bauplan für ein Elfchen

ein Wort	Wie ist es?	○
zwei Wörter	Wer ist es?	○
drei Wörter	Was tut es?	○
vier Wörter	ein Satz	○
ein Wort	ein Wort zum Schluss	○

3 Schreibe ein eigenes Elfchen über einen Schmetterling.
Die Wörter von Seite 22 können dir helfen.

4 Lerne Elfchen auswendig.
Die Tipps helfen dir.

Zu Bildern schreiben

Vincent van Gogh (sprich: fann Goch) ist ein berühmter Maler.
Er wurde in den Niederlanden geboren.
Viele Jahre lebte er in Frankreich.
Er liebte die Natur und malte viele Bilder.
Diese sind heute sehr wertvoll.

1 Betrachte das Bild ganz genau.

Dieses Bild heißt:

Mohnblumen und Schmetterlinge.

Es hängt im Museum
in Amsterdam
in den Niederlanden.

2 Besprecht, was ihr darauf alles sehen könnt.

Stell dir vor:

Du fliegst als Schmetterling
über der Wiese
mit Mohnblumen …

Ein Schmetterling setzt sich
vor dich auf eine Blume.
Er erzählt dir seine Geschichte …

3 Wähle einen Vorschlag aus. Schreibe eine kleine Geschichte dazu.

4 Wähle eine Malaufgabe aus.

Male einen Ausschnitt
aus dem Bild ab.

Male ein eigenes
Schmetterlingsbild
mit deinen Ideen.

Das Projekt präsentieren und abschließen

Plant zum Abschluss des Projekts ein kleines Fest.
Ihr könnt anderen Klassen, den Kindern aus der Kita oder den Eltern eure Ergebnisse vorstellen.

1 Plant einen „Schmetterlingstag“ für eure Klasse oder eure Schule.

a) Überlegt, was ihr vorstellen möchtet.

b) Schreibt alle Ideen auf Kärtchen.

c) Sammelt die Kärtchen an einer Wand und ordnet sie.

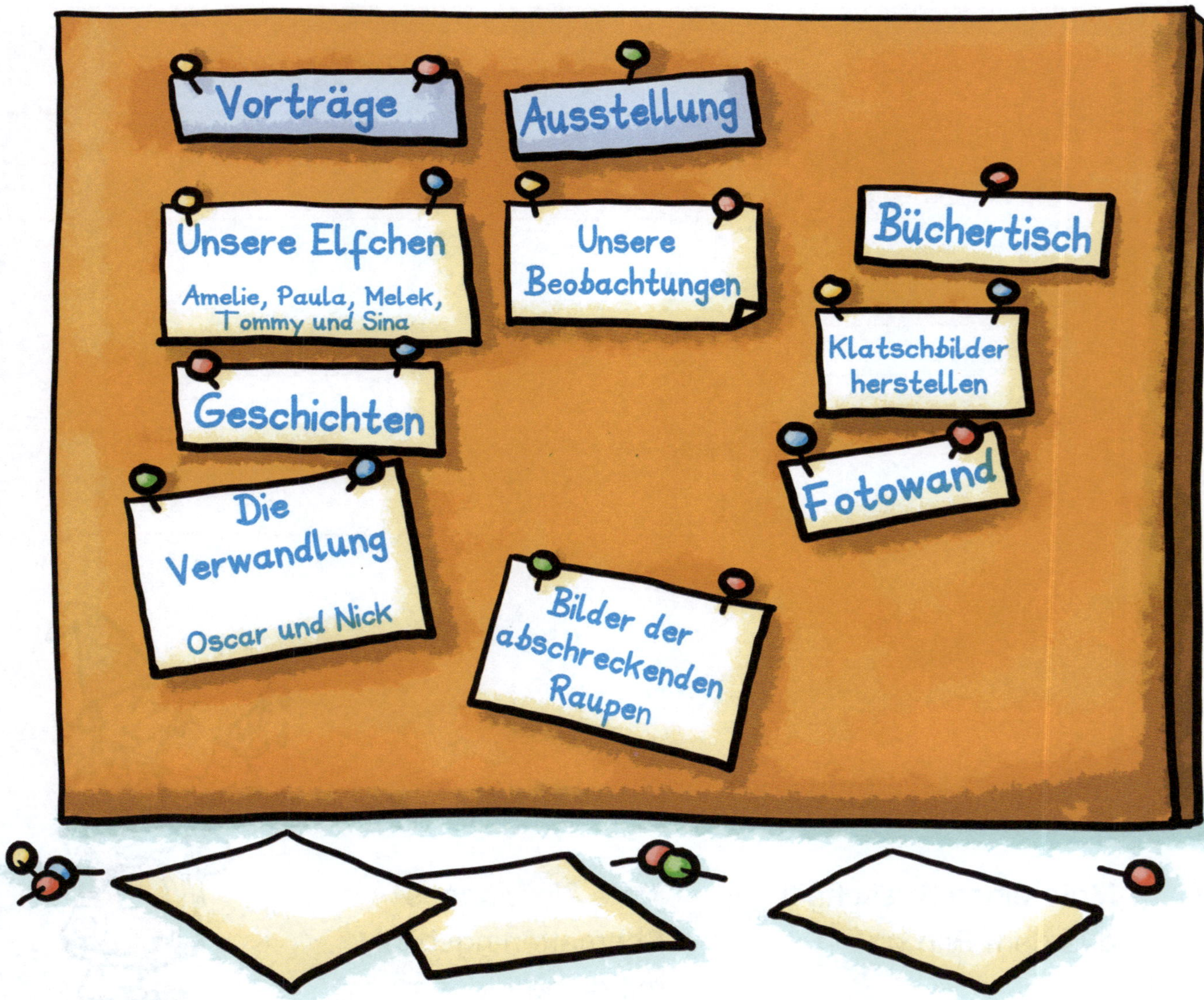

2 Trage deine Gedanken über das Projekt hier ein.

Mir hat gut gefallen, …

dass

Interessant fand ich, …

Was ich gelernt habe

Das würde mich noch interessieren

Was ich sonst noch zum Projekt sagen will

3 Setzt euch zusammen und tauscht euch dazu aus.

Einsterns Schwester 2
leicht gemacht

Projektheft
Schmetterlinge

Herausgegeben von: Roland Bauer, Jutta Maurach

Erarbeitet von: Annette Schumpp

Redaktion: Martina Schramm, Sabine Gerber

Illustration: Yo Rühmer, Frankfurt am Main

Umschlaggestaltung: Cornelia Gründer, agentur corngreen, Leipzig

Layout und technische Umsetzung: lernsatz.de

www.cornelsen.de

Die Webseiten Dritter, deren Internetadressen in diesem Lehrwerk angegeben sind, wurden vor Drucklegung sorgfältig geprüft. Der Verlag übernimmt keine Gewähr für die Aktualität und den Inhalt dieser Seiten oder solcher, die mit ihnen verlinkt sind.

1. Auflage, 3. Druck 2019

Alle Drucke dieser Auflage sind inhaltlich unverändert und können im Unterricht nebeneinander verwendet werden.

Druck: Parzeller print & media GmbH & Co. KG, Fulda

ISBN 978-3-06-084282-7

Dieses Heft ist Bestandteil des Pakets „Einsterns Schwester 2 leicht gemacht“ (ISBN 978-3-06-084277-3) und kann auch einzeln bestellt werden.
Das Paket ist auch als E-Book erhältlich (ISBN 978-3-06-084297-1).

PEFC
PEFC/04-31-1308

PEFC zertifiziert
Dieses Produkt stammt aus nachhaltig bewirtschafteten Wäldern und kontrollierten Quellen.
www.pefc.de